Convivir con
el Síndrome de
Intestino Irritable
(Colon Irritable)

Colección Convivir con…

Director:
Prof. Federico Micheli
Profesor Adjunto de Neurología, Facultad de Medicina,
Universidad de Buenos Aires
Director del Programa de Parkinson y Movimientos Anormales,
Hospital de Clínicas José de San Martín. Buenos Aires
Presidente de la Sociedad Latinoamericana
de Movimientos Anormales (SOLAMA)

Convivir con el Síndrome de Intestino Irritable (Colon Irritable)

Manuel Díaz-Rubio
Catedrático de Medicina
Jefe del Servicio de Aparato Digestivo.
Hospital Clínico de San Carlos. Madrid.
Académico de Número de la Real Academia Nacional de Medicina.

Ilustraciones: Javier Bejega

EDITORIAL MÉDICA
panamericana

BUENOS AIRES - BOGOTÁ - CARACAS - MADRID - MÉXICO - SÃO PAULO
www.medicapanamericana.com

Catalogación en Publicación de la Biblioteca Nacional

Manuel Díaz-Rubio
  Convivir con el síndrome de intestino irritable (colon irritable) / Manuel Díaz-Rubio ;
Ilustraciones, Javier Bejega. — Buenos Aires ; Madrid : Médica Panamericana, [2007]. —
  XIV, 84 p.: il. col.; 20 cm. — (Colección Convivir con--)
  ISBN 978-84-9835-094-4. — ISBN 84-9835-094-8
1. Colon irritable — Obras de divulgación. I. Bejega, Javier. II. Título.
616.348-002(035)

EDITORIAL MÉDICA
panamericana

Visite nuestra página web:
  http://www.medicapanamericana.com

ARGENTINA
Marcelo T. de Alvear 2145
(C1122AAG) Ciudad Autónoma
de Buenos Aires, Argentina
Tel.: (54-11) 4821-2066
Fax (54-11) 4821-1214
e-mail: info@medicapanamericana.com

COLOMBIA
Carrera 7a A. Nº 69-19 - Santa Fe de
Bogotá DC., Colombia
Tel.: (57-1) 235-4068 / Fax: (57-1) 345-0019
e-mail: infomp@medicapanamericana.com.co

ESPAÑA
Alberto Alcocer 24 , 6.º piso - 28036 Madrid,
España
Tel.: (+34-91) 1317800 / Fax: (+34-91) 1317805
e-mail: info@medicapanamericana.es

MÉXICO
Hegel 141, 2º piso - Colonia Chapultepec Morales
Delegación Miguel Hidalgo - 11570 -
México D.F., México
Tel.: (52-55) 5262-9470
Fax: (52-55) 2624-2827
e-mail: infomp@medicapanamericana.com.mx

VENEZUELA
Edificio Polar, Torre Oeste, Piso 6, Of. 6-C
Plaza Venezuela, Urbanización Los Caobos,
Parroquia El Recreo, Municipio Libertador -
Caracas Dpto. Capital. Venezuela.
Tel.: (58-212) 793-2857/6906/5985/1666
Fax: (58-212) 793-5885
e-mail: info@medicapanamericana.com.ve

ISBN-13: 978-84-9835-094-4
ISBN-10: 84-9835-094-8

Impreso en España
Depósito legal: M-51.325-2006

Prefacio

El síndrome de intestino irritable, conocido vulgarmente como "colon irritable", es un trastorno de carácter funcional de una gran frecuencia en la población. Cada vez mejor conocido por el mundo científico en algunos de sus mecanismos de producción, es sin embargo de causa desconocida. De fácil diagnóstico por el médico, se realiza por exclusión ya que no existe ningún marcador o exploración específica que nos dé el diagnóstico.

Los problemas que plantea el síndrome de intestino irritable a quien lo padece pueden ser importantes ya que se trata de una afección crónica con síntomas en ocasiones de gran relevancia que afectan a la calidad de vida y al mundo de las relaciones familiares, laborales y sociales en general. El dolor abdominal y los trastornos del ritmo intestinal son los más sobresalientes aunque pueden existir otros muchos de carácter muy diverso. Junto a ello estos pacientes muestran altos niveles de estrés o ansiedad, lo que hace que los síntomas se magnifiquen. La cronicidad de este síndrome, marcada por temporadas buenas y otras malas, requiere que el paciente conozca bien su enfermedad para que pueda convivir con él de una forma razonable. La relación médico-paciente es básica y ayudará de forma importante a sobrellevar los síntomas que produce la enfermedad, que se manifiestan a lo largo de los años de una forma monótona. El paciente debe saber también que la pérdida de dicha monotonía debe ser motivo de consulta a su médico, de la misma forma que las consultas a éste a lo largo de la enfermedad no deben ser constantes y que la demanda continua de pruebas exploratorias tampoco resulta necesaria para el seguimiento de su enfermedad.

El síndrome de intestino irritable no tiene un tratamiento específico y por lo tanto no debe esperarse de él nada más que el alivio de sus síntomas y el control de la enfermedad. La enfermedad no podemos a curarla a día de hoy, pero sí aliviarla y hacerla compatible con una buena calidad de vida, la cual en las formas graves puede estar muy afectada. Muchos pacientes no conformes con la respuesta terapéutica recurren con frecuencia a otras alternativas pensando en su posible beneficio al fracasar la terapéutica convencional. Sin embargo, la puesta en práctica de estas alternativas debería ser conocida por su médico para evitar cambios sintomatológicos que podrían llevarle a la confusión.

El objetivo de este pequeño libro no es otro que responder a una serie de preguntas que pueden ser de utilidad para quien padece el síndrome de intestino irritable. El conocimiento de la enfermedad por parte del paciente es un elemento primordial para convivir con ella, cumplir el tratamiento y ser feliz por encima de los síntomas que cotidianamente puede uno padecer durante las crisis de la enfermedad. Es nuestro deseo que el lector encuentre aquí respuestas a cuestiones que puedan ser de su interés y que en futuras ediciones podamos completarlas con otras que nos puedan plantear quienes lean estas líneas.

A todos los pacientes con síndrome de intestino irritable.

A Julia O.M., paciente con síndrome de intestino irritable
que en la Navidad de 1992 me escribió:

"Ahora que sé que el colon se irrita igual que uno mismo,
incluso antes de que se sea consciente del motivo que nos
induce a irritación, lo tengo mucho más controlado.
Además resulta sorprendente y divertido tener en alguna
parte del cuerpo algo mucho más perspicaz y veloz que
nuestra propia inteligencia. ¡Que lección de humildad!"

Índice de preguntas

1. ¿Qué es el síndrome de intestino irritable?

El síndrome de intestino irritable es un trastorno digestivo de carácter funcional que se caracteriza por la presencia de dolor o molestia abdominal asociado a cambios del ritmo intestinal (estreñimiento, diarrea o ambos) sin ninguna alteración orgánica demostrable. Según los más recientes criterios médicos debe

pensarse en este síndrome cuando las molestias o los dolores abdominales estén presentes durante doce semanas o más en los últimos doce meses. Además de lo anterior los pacientes presentan frecuentemente otros muchos síntomas, entre los que destacan el alivio del dolor o las molestias abdominales con la defecación y un cambio manifiesto de la consistencia de las heces.

DOLOR ABDOMINAL

2. ¿Con qué otros nombres se lo conoce?

El síndrome de intestino irritable es conocido vulgarmente como "síndrome del colon irritable" o simplemente como "colon irritable". Esta denominación es cada vez menos usada por los médicos pues implica que la única parte del intestino afectado es el intestino grueso o colon, lo cual sabemos hoy día que no es así. El síndrome de intestino irritable ha sido conocido a lo largo de los años por otros muchos nombres, todos ellos en desuso en la actualidad, tales como "colon espástico», "colon inestable", "neurosis del colon", "neurosis intestinal", "colopatía mucomembranosa", "colopatía disfuncional", "disquinesia del colon", "colitis mucosa", "colitis adaptativa" o "colitis nerviosa".

3. ¿Es una enfermedad nueva?

No, aunque no se le ha prestado especial atención hasta hace aproximadamente unos 50 años.
Los libros de Medicina del siglo XIX hacían referencia a esta enfermedad, aunque parece que por entonces no se le daba la importancia que realmente tiene por cuanto afecta a la calidad de vida de quien la padece.

Por otra parte, aunque los síntomas descritos eran similares a los que ahora se presentan, se señalaba como un dato muy frecuente la existencia de moco con las deposiciones. Esto, que también se da hoy como síntoma acompañante, tiene en la actualidad una frecuencia significativamente menor.

Ya por entonces, y durante muchas décadas posteriores, se pensaba que esta enfermedad sólo afectaba al intestino grueso (colon), cosa que hoy sabemos que no es así.

4. ¿Es muy frecuente en la población?

La frecuencia del síndrome de intestino irritable en la población es muy alta. Se han realizado estudios para conocer con exactitud qué porcentaje de la población padece este trastorno y se ha estimado que entre un 10 y un 12% de la población española lo presenta. Algunos estudios epidemiológicos fijan esta frecuencia en algo menos, aunque ello está relacionado con los criterios más o menos estrictos con los que se diseñe la encuesta epidemiológica. Este trastorno es una de las causas más frecuentes de consulta médica, tanto en la de carácter general como especializado. Se ha señalado que entre un 30 y un 45% de los pacientes que acuden a una consulta de Aparato Digestivo presentan un síndrome de intestino irritable o algún trastorno funcional de índole digestiva.

5. ¿Se da por igual en todos los países?

No. Es mucho más frecuente en los países industrializados que en los subdesarrollados. La frecuencia de presentación en los países más avanzados es prácticamente igual en todos ellos. Se da la circunstancia de que los sujetos procedentes de los países subdesarrollados cuando se trasladan a países industrializados desarrollan este trastorno con igual frecuencia que los nativos. Las razones por las que en los países menos desarrollados es menos frecuente (incluso inexistente en algunos casos) se relacionan con el estilo de vida, fundamentalmente con la dieta rica en alimentos vegetales, y con la inexistencia o el bajo nivel de estrés. Sin embargo, en los países subdesarrollados la frecuencia va aumentando en relación con el desarrollo que se va produciendo, siendo cada vez más común en las grandes ciudades de estos países con un nivel socioeconómico más parecido al de los países desarrollados.

ES MÁS

FRECUENTE EN

PAÍSES INDUSTRIALIZADOS

6. ¿Es una enfermedad grave?

No es una enfermedad que comprometa la vida de quien la sufre. Sin embargo es una enfermedad que puede en algunos pacientes condicionar su calidad de vida. El síndrome de intestino irritable puede ser leve, moderado o grave y en función de ello afectar mucho al paciente. Sin ser grave produce un gran gasto sanitario en recursos como consecuencia de la enorme cantidad de consultas a las que da lugar. En cualquier caso, al tratarse de una enfermedad funcional, en la que la forma de vivir la enfermedad depende mucho de cada paciente, el concepto de gravedad es relativo. Si por grave entendemos que pueda costarnos la vida en el sentido más estricto, la contestación es que no. Sin embargo muchos pacientes dicen que su calidad de vida es tan mala que es como si no vivieran al no poder disfrutar como las personas sanas.

7. ¿Afecta mucho a la vida diaria?

Puede afectarla sobre todo en los pacientes que presentan síntomas más intensos. Este trastorno produce en función de su gravedad, una mala calidad de vida (peor incluso que algunas enfermedades orgánicas), con repercusiones sociales en muchos casos nada despreciables. Además de poder repercutir en la vida familiar (a veces los familiares no comprenden las quejas del paciente cuando el médico le ha dicho que no padece un enfermedad orgánica y el aspecto físico es bueno), lo hace también en el ambiente laboral y constituye, uno de los motivos más importantes de absentismo laboral. Las limitaciones que el síndrome de intestino irritable pone a la vida de los pacientes que lo sufren pueden ser sustanciales y causan la incomprensión de quienes les rodean. Por lo general, estos pacientes acaban viviendo en soledad su enfermedad ante el fracaso de compartirla con los que forman su círculo laboral o familiar.

8. ¿Tiene riesgos vitales?

No es una enfermedad que comprometa la vida aunque sí la calidad de ésta. Por otra parte es una enfermedad de buena evolución, salvo casos muy concretos y con síntomas muy graves, y carente de complicaciones. Tan sólo en pacientes con síndrome de intestino irritable de muchos años de evolución puede aparecer diverticulosis del colon, pequeñas formaciones saculares sobre todo en el colon descendente y el sigma, aunque esta situación también puede darse en sujetos que nunca hayan padecido el síndrome de intestino irritable. A modo de complicación, los divertículos del colon pueden infectarse (diverticulitis), perforarse o sangrar. Por tanto, los riesgos vitales de la enfermedad no existen y tan sólo serían los derivados de esta contingencia de alguna forma relacionada con el síndrome de intestino irritable.

ME TEMO QUE SE INFECTARON LOS DIVERTÍCULOS.

9. ¿Puede desembocar en algo más grave?

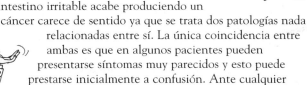

No. Es una enfermedad benigna que no produce lesiones orgánicas ni predispone a ellas, salvo la posibilidad de aparición de divertículos ya señalada. El pensamiento, incluso la obsesión de algunos pacientes de que el síndrome de intestino irritable acabe produciendo un cáncer carece de sentido ya que se trata dos patologías nada relacionadas entre sí. La única coincidencia entre ambas es que en algunos pacientes pueden presentarse síntomas muy parecidos y esto puede prestarse inicialmente a confusión. Ante cualquier temor, el paciente debe acudir al médico, el cual con todos sus recursos clínicos y exploratorios aclarará cuantas dudas o cuantos problemas diagnósticos puedan derivarse de esta circunstancia.

ES UNA ENFERMEDAD BENIGNA

10. ¿Se afectan por igual ambos sexos y puede presentarse a cualquier edad?

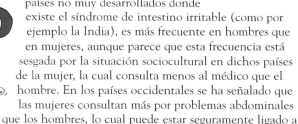

Es claramente más frecuente en las mujeres. Se ha comprobado cómo en los países desarrollados puede llegar a ser cuatro veces más frecuente en mujeres que en hombres. Curiosamente en algunos países no muy desarrollados donde existe el síndrome de intestino irritable (como por ejemplo la India), es más frecuente en hombres que en mujeres, aunque parece que esta frecuencia está sesgada por la situación sociocultural en dichos países de la mujer, la cual consulta menos al médico que el hombre. En los países occidentales se ha señalado que las mujeres consultan más por problemas abdominales que los hombres, lo cual puede estar seguramente ligado a patrones sociológicos. En cuanto a la edad de presentación, el síndrome de intestino irritable puede afectar a personas de cualquier edad, pero es más habitual en adultos jóvenes y disminuye su frecuencia a partir de los 50 años. La presentación de un cuadro sintomatológico compatible con el síndrome de intestino irritable por encima de esta edad o incluso en personas de edad más avanzada debe ser evaluada por el médico de forma minuciosa, pues precisamente es en esas edades cuando pueden aparecer determinadas enfermedades orgánicas, algunas de ellas de gran trascendencia.

ES MÁS FRECUENTE EN MUJERES

11. ¿Es una enfermedad que pueda contagiarse? ¿Las infecciones intestinales pueden producir síndrome de intestino irritable?

No es una enfermedad infectocontagiosa. La etiología infecciosa ha sido muy valorada y tenida en cuenta ya que algunos estudios han demostrado la frecuente aparición de cuadros clínicos similares al síndrome de intestino irritable después de haber padecido diversos tipos de gastroenteritis. Más bien parece que tras una infección del tracto digestivo podrían quedar determinadas secuelas en él que le hicieran reaccionar de forma anormal ante estímulos que serían normales en cualquier persona que no padeciera la enfermedad. Si bien una infección inicial podría ser la causa desencadenante, no se ha demostrado la existencia de una infección persistente en los pacientes con síndrome de intestino irritable, por lo que puede descartarse su contagiosidad. No se ha detectado ningún tipo de germen en estos pacientes y tan sólo se sabe que un porcentaje de éstos presentan en su colon sobrecrecimiento bacteriano.

...Y ESO QUE LE EXPLIQUÉ QUE NO ERA CONTAGIOSO.

12. ¿Por qué se produce el síndrome de intestino irritable?

En realidad no se sabe cuál es la causa de la enfermedad; se han implicado para su explicación un sin fín de posibles factores. Desde hace muchos años se investiga su etiología y se ha pensado en un conjunto de causas que podrían ser las responsables, aunque hoy por hoy no sabemos cuáles serían. Sí sabemos algo más del porqué del trastorno, que se explica basándose en que pudiera existir, además de una posible causa infecciosa, una anomalía mioeléctrica que produjera un trastorno de la motilidad del intestino, una respuesta anormal a determinados estímulos hormonales, un trastorno de la sensibilidad intestinal, una alteración de determinadas hormonas digestivas, una intolerancia o alergia alimentaria o la existencia de determinadas alteraciones psicológicas. Con independencia de que en cada paciente pueda destacar sobre otros un determinado trastorno, parece que con mucha frecuencia en estos pacientes existe una convergencia de todos o varios de ellos.

CAUSAS

alergia alimentaria

Otras

Infecciones

Transtorno de la sensibilidad intestinal.

C.I.

Anomalías mioeléctrico

Alteraciones Psicológicas

13. ¿Tiene alguna relación con otras enfermedades?

No tiene nada que ver con ninguna enfermedad orgánica. Sin embargo muchos pacientes con síndrome de intestino irritable presentan otras alteraciones de carácter funcional. Las enfermedades funcionales son muy numerosas y todas tienen un comportamiento muy similar en cuanto a la presencia de muchos síntomas (bastante coincidentes) y la evolución en el tiempo. A veces, en un paciente pueden coexistir dos enfermedades funcionales diferentes pero que en el fondo responden a la misma causa fisiopatológica. En otras ocasiones el paciente presenta unos síntomas característicos de una de ellas y tiempo después ofrece como rasgo fundamental los de otro trastorno funcional. Sin embargo, debe tenerse presente que sin tener relación con el síndrome de intestino irritable, en estos pacientes puede desarrollarse cualquier otra enfermedad orgánica con la misma frecuencia que en la población que no padece este síndrome.

OTRAS ENFERMEDADES   **COLON IRRITABLE**

14. ¿Tiene algo que ver la dieta?

Se ha implicado a la dieta en las últimas décadas como uno de los factores responsables del síndrome de intestino irritable por dos vías distintas: por una parte una dieta baja en fibra vegetal ha sido relacionada con la enfermedad basándose en la observación de que es una dolencia muy prevalente en los países occidentales con alto nivel de desarrollo y poco en los países de escaso desarrollo donde el consumo de fibra vegetal es alto de forma natural; por otra parte se han realizado numerosos estudios para descartar que se tratara de una alergia alimentaria ya que muchos pacientes relacionan la aparición de los síntomas con la ingesta de determinados alimentos. Sin embargo hasta el momento no existen estudios que avalen la teoría de que el síndrome de intestino irritable está provocado por una dieta determinada o por la toma de algún alimento en concreto. Ello no es óbice para que muchos pacientes relacionen sus molestias con determinados alimentos de su dieta cuya eliminación les hace mejorar.

15. ¿Los cambios de la flora bacteriana intestinal tienen algo que ver?

Tampoco en este caso existen evidencias científicas que hagan pensar en ello. Algunos estudios han demostrado cómo pueden existir en algunos pacientes cambios en la flora bacteriana pero su corrección no conlleva la desaparición del síndrome. Ello aparece ante todo en los casos que se manifiestan por diarrea y sabemos que ésta puede hacer desaparecer o trastornar en su equilibrio la flora bacteriana del colon.

Es más, existe constancia científica de que los conservantes de algunos alimentos ricos en compuestos sulfurados pueden estimular el crecimiento de determinadas bacterias y disminuir el de otras, rompiendo así el necesario equilibrio bacteriano. Estos estudios han hecho pensar en el efecto beneficioso de determinados probióticos ricos en *bifidobacterium*. No obstante ha sido ya comentado cómo muchos de estos pacientes tienen sobrecrecimiento bacteriano, aunque no se conoce bien qué significación puede tener en el desarrollo de su enfermedad.

16. ¿Los trastornos de la motilidad intestinal son importantes?

Sí. Una de las misiones del colon es hacer avanzar su contenido hasta el recto para poder ser evacuado. Los síntomas característicos del síndrome de intestino irritable están relacionados con los movimientos del colon, por lo que se ha pensado en que un trastorno de esta función podría ser responsable de la enfermedad y de sus síntomas. Se ha observado, mediante estudios de motilidad colónica, cómo existe efectivamente un trastorno motor, y que éste puede afectar o bien a partes extensas del intestino o sólo a diferentes segmentos de este tramo intestinal, además de otros del tubo digestivo. Este trastorno de la motilidad del colon tiene una gran importancia por cuanto explica sin duda muchos de los síntomas (dolor y alteraciones del ritmo intestinal) que presentan los pacientes. Sin embargo, y a pesar de ser un aspecto muy estudiado por los investigadores, no se sabe a ciencia cierta qué es lo que desencadena este trastorno motor.

17. ¿El intestino reacciona de forma anormal a algunos estímulos?

Sí. Es quizás una de las causas más importantes en el síndrome de intestino irritable. Hoy se piensa que el intestino de estos pacientes reacciona de una forma anormal ante determinados estímulos, algunos tan fisiológicos como la presencia del propio contenido intestinal. Sin saberse bien el mecanismo íntimo de ello, parece que existe un trastorno de la percepción visceral que podría estar ligado a otros factores, tales como sensibilización alimentaria, infecciones banales previas o trastornos psicológicos. La existencia en el síndrome de intestino irritable de otros síntomas, también de carácter funcional, en otros territorios de nuestro organismo, muy relacionados con una percepción anormal de estímulos, que en sujetos sin la enfermedad serían normales, hace pensar que esta forma de reaccionar sería la causa al menos de una parte de los síntomas que se presentan.

Reacciona ante su propio contenido

INTESTINAL

18. ¿Tiene algo que ver el estrés con el síndrome de intestino irritable?

Sí, aunque no está demostrado que sea la causa de la enfermedad. Diversos estudios han puesto de manifiesto una relación importante entre la aparición de los síntomas del síndrome de intestino irritable y el estrés. El estrés psicológico perturba el equilibrio emocional de la persona y puede dar lugar a la aparición de síntomas muy diversos. El estrés puede ser tanto externo, debido a causas muy variadas y generado en el ambiente familiar, laboral o social en general, o bien autogenerado por el propio paciente. En estos pacientes es fácilmente constatable la existencia de un mayor estrés por sucesos vitales y más sucesos vitales estresantes. Desde el punto de vista biológico el estrés tiene gran importancia ya que se ha comprobado que es capaz de producir un aumento de los niveles matinales de cortisol, lo cual se considera un indicador de estrés psicosocial.

19. ¿Los pacientes con trastornos psicológicos tienen más posibilidades de padecer síndrome de intestino irritable?

No parece, según los estudios realizados, que determinados trastornos psicológicos puedan ser la causa del síndrome de intestino irritable. Sin embargo sí se ha observado que estos pacientes presentan con mayor frecuencia que la población general determinados trastornos de esta naturaleza. Con independencia de la depresión, la cual se asocia con bastante frecuencia al síndrome de intestino irritable, otras alteraciones han sido constatadas. En estos pacientes se encuentran, con independencia del estrés, niveles de ansiedad mayores que los de la población sana, de la misma forma que existe un mayor grado de hipocondría. Existe una similar inteligencia racional, menor inteligencia experiencial y se pueden encontrar con frecuencia determinados trastornos cognitivos y conductuales, tales como un comportamiento de enfermedad, hipervigilancia de síntomas e interpretación de la causa de éstos. Además de lo anterior tiene gran importancia que en estos pacientes existen estilos menos eficaces de afrontamiento de la enfermedad.

DEPRESIÓN

20. ¿Produce muchos síntomas el síndrome de intestino irritable?

Es un trastorno en el que pueden existir muchos síntomas y bastantes de ellos fuera de la esfera del aparato digestivo, lo que puede hacer pensar al paciente que tiene además otra u otras enfermedades. Aparte de los síntomas más habituales, como el dolor abdominal y las alteraciones del ritmo intestinal (diarrea o estreñimiento o ambas de forma alternante), pueden presentarse en algunos pacientes otros síntomas, si bien con un frecuencia menor. Entre éstos están dolor torácico, náuseas y vómitos, reflujo gastroesofágico, molestias dispépticas gástricas, aerofagia, meteorismo, sensación de saciedad precoz, aumento de peso, cancerofobia, síntomas urinarios (disuria, polaquiuria y nicturia), síntomas ginecológicos (dismenorrea y dispareunia), cefalea, fibromialgia, insomnio, ansiedad, depresión, astenia, taquicardia o bradicardia, síndrome de Ménière, trastornos neurovegetativos y otros síntomas inespecíficos. La valoración de ellos, cuando se presentan, debe hacerla el médico, quien informará al paciente de su relación o no con el proceso. El paciente debe saber que éstos u otros síntomas pueden presentarse pero no confiar en su interpretación personal sin consultar previamente. En cualquier caso una característica muy llamativa es que no todas las personas que padecen síndrome de intestino irritable tienen los mismos síntomas y resulta raro que existan dos pacientes iguales.

DOLOR de CABEZA

21. ¿Todos los síntomas que se presentan son siempre iguales o pueden cambiar a lo largo de los meses o años?

En general en cada paciente los síntomas se repiten durante las crisis de la enfermedad de forma muy similar aunque con intensidad variable. El dolor abdominal suele estar casi siempre presente y las alteraciones del ritmo intestinal suelen ser muy similares. El síndrome que se manifiesta en un paciente por dolor abdominal y estreñimiento lo suele hacer casi siempre de esta misma forma, al igual que el que se presenta con dolor abdominal y diarrea. Sin embargo en la forma alternante, además del dolor abdominal, en unas ocasiones predomina el estreñimiento y en otras la diarrea. El resto de los síntomas suele tener un comportamiento muy parecido, salvo excepciones. En cualquier caso no hay que olvidar que una gran parte de los pacientes van mejorando con los años y llega un momento en el que pueden dejar de padecer este trastorno sin que se conozcan bien las causas para que ello tenga lugar.

22. ¿Cuáles son las características del dolor?

El dolor, o simplemente el malestar abdominal, suele ser referido al menos durante tres meses dentro del último año. Aunque puede faltar en algunos casos de síndrome de intestino irritable está presente según diversos estudios entre el 40 y el 100% de los pacientes. La intensidad, cualidad y localización del dolor es muy variable en cada paciente y por lo general se refiere a toda la zona abdominal, que comprende el trayecto del colon hasta la parte abdominal más baja izquierda (fosa ilíaca izquierda) y central (hipogastrio) y que puede localizarse habitualmente en alguna zona concreta. Algunos pacientes refieren dolor "en barra" en la parte superior del abdomen, lo que puede dar lugar a confusiones diagnósticas. Otras ves que el dolor es más constante en la parte alta abdominal izquierda (hipocondrio izquierdo) debido al acúmulo de gases en esa zona del colon, irradiándose a veces el dolor a la espalda hasta la escápula, el tórax o incluso el brazo izquierdo. En estos pacientes se pueden plantear problemas diagnósticos con otras causas de dolor torácico, a la cabeza el de origen coronario. En casi la mayoría de los casos el dolor se refiere en el lado izquierdo y bajo del abdomen (fosa ilíaca izquierda).

El dolor suele ser de tipo cólico, de duración variable (minutos u horas) y diurno. El dolor nocturno no es característico de este trastorno y si aparece debe ser motivo de consulta médica. El dolor suele acompañarse de ruidos intestinales y mejora o desaparece con la defecación o la expulsión de gases, aunque sea de forma transitoria. El dolor no permanece estable de forma sistemática y lo más frecuente es que evolucione por crisis con temporadas mejores y otras peores.

23. ¿Es frecuente la diarrea? ¿Aparece de forma continua o intermitente?

El trastorno del ritmo intestinal es una de las características más llamativas y constantes del síndrome de intestino irritable. Aunque existe un grupo de pacientes en los que su enfermedad se manifiesta siempre por diarrea, en otros casos, con independencia de los que se manifiestan habitualmente con estreñimiento, es frecuente la denominada "forma alternante". Ésta se caracteriza por que las crisis de la enfermedad unas veces se presentan acompañadas de diarrea y otras de estreñimiento. La diarrea está presente en un tercio de los pacientes aproximadamente y suele expresarse por tres o más deposiciones al día, pero también por la disminución de la consistencia de las heces, las cuales pueden ser muy líquidas, blandas, pastosas o en "forma de torta". La diarrea aparece muy frecuentemente de forma matinal o después de las comidas (reflejo gastrocólico) y en ocasiones aparece en forma explosiva, además de en muchos casos dejar al paciente con sensación de defecación incompleta. Un dato de gran valor diagnóstico es que a pesar de la diarrea el paciente no suele perder peso ni tener trastornos del apetito.

24. ¿Es normal que pueda aparecer moco con las deposiciones?

Sí. La existencia de moco con las heces es conocida con el nombre de "mucorrea". Su frecuencia en el síndrome de intestino irritable es estimable, por lo que en un tiempo esta enfermedad fue denominada "colitis mucosa". La presencia de moco en las deposiciones es de cuantía variable y se presenta en forma de gruesos copos cuajados pero no mezclados con las heces. La hipersecreción de moco es muy variable en cada paciente; muchos de ellos no la presentan y en los que lo hacen suele presentarse habitualmente de forma intermitente. Curiosamente la cantidad de moco que aparece actualmente en los pacientes con esta enfermedad es menor de la que se señalaba hace un siglo o siglo y medio, sin que se sepan realmente las causas de ello.

LA CONSULTA DOCTOR ES PORQUE CON LA DEFECACIÓN, NOTO MUCOSIDAD...

SEGURAMENTE ESTAMOS ANTE UN CASO DE COLON IRRITABLE

25. ¿Es frecuente la aparición de estreñimiento?

Sí, y además es uno de los síntomas característicos de determinada forma de síndrome de intestino irritable. El estreñimiento se debe a la existencia de espasmos en el colon, lo cual explica otras de las denominaciones en otros tiempos de este síndrome, como por ejemplo "colon espástico". Además se produce como consecuencia de un trastorno de la actividad motora del colon. El estreñimiento se caracteriza por la evacuación de heces cada tres o cuatro días, las cuales presentan determinadas características, como que son duras, desecadas, en forma de bolas y de tamaño muy diverso, lo que les hace adoptar un aspecto denominado "heces caprinas". En otras ocasiones los pacientes refieren que las heces se presentan en "forma de cintas". En la mayoría de casos el estreñimiento se acompaña de esfuerzo defecatorio, con sensación de deposición incompleta. Cuando la sensación es de defecación completa puede sentirse un gran confort.

26. Con independencia de tener estreñimiento o diarrea, ¿cómo son las heces en el síndrome de intestino irritable?

El aspecto y la consistencia de las heces son diferentes en función de que el paciente presente diarrea o estreñimiento. En el primer caso pueden ser líquidas, blandas, pastosas o en "forma de torta". Cuando existe estreñimiento sus características son muy diversas. En general son duras, desecadas, en forma de bolas o acintadas. A veces estas bolas pueden ser duras, separadas, del tamaño de una avellana y difíciles de evacuar. Otras veces aparecen agrupadas y son de carácter caprino. En ocasiones son bolas blandas de bordes recortados pero fáciles de evacuar. Es frecuente además la aparición de grumos de moco coagulados en las heces. En cualquier caso el paciente debe conocer que a lo largo de su enfermedad puede presentar heces de todas estas características según las crisis que vaya teniendo a lo largo de su evolución, sobre todo en la forma de síndrome de intestino irritable alternante. En la mayoría de los casos existe una tendencia natural a que la forma de las heces sea siempre igual durante las crisis de la enfermedad.

27. ¿Afecta al apetito o al peso el síndrome de intestino irritable?

No. Éste es un dato de gran importancia que debe ser tenido muy en cuenta por el paciente. En el síndrome de intestino irritable no existe disminución del apetito ni del peso, sino incluso en muchos casos aumento de ambos.

Cuando un paciente con esta enfermedad pierde el apetito o adelgaza, debe consultar con su médico, pues ninguno de estos síntomas es característico de esta enfermedad y puede deberse a otras causas que deban ser investigadas.

28. ¿Puede existir hinchazón abdominal?

Sí. Muchos pacientes se quejan de hinchazón abdominal (distensión abdominal) que puede ser incluso en algunos casos la molestia más significativa de cuantas presentan. La hinchazón abdominal, muy variable en cada paciente, se hace más patente a lo largo del día y los pacientes refieren que no la constatan cuando se levantan por la mañana. Las causas de esta hinchazón abdominal hay que buscarlas en dos hechos fundamentales que se dan en los pacientes con síndrome de intestino irritable: uno, que presentan con mucha frecuencia aerofagia, es decir, que tragan mucho aire cuando ingieren cualquier cosa, y otro que su tubo digestivo tiene gran capacidad para producir gas y disminución para absorberlo. Como consecuencia de este aumento de gas intestinal los pacientes pueden percibir ruidos intestinales (borborismos) y quejarse de las consecuencias que tales gases pueden producir, como opresiones o pinchazos. Muchos pacientes notan gran alivio con la expulsión de gases, si bien en muchos de ellos ésta puede ser dificultosa.

HINCHAZÓN ABDOMINAL

29. ¿Se puede notar cansancio como consecuencia de esta enfermedad?

No. Al igual que no existe pérdida de apetito o de peso, el cansancio (astenia) no forma parte de la enfermedad. Algunos pacientes pueden referirla pero en la historia clínica se recoge fácilmente que es debido a sus hábitos laborales y no tiene nada que ver con esta enfermedad. En presencia de un cansancio manifiesto y mantenido debe consultarse al médico, el cual investigará otras causas de astenia, algunas de las cuales, como es el caso de la fibromialgia o la depresión, son situaciones que se asocian frecuentemente al síndrome de intestino irritable.

30. ¿Pueden existir síntomas fuera del aparato digestivo?

Sí. El síndrome de intestino irritable es un trastorno complejo que afecta fundamentalmente al tubo digestivo, más concretamente al intestino grueso o colon, pero que puede afectar también a otros territorios de nuestro organismo. De hecho los síntomas extradigestivos pueden ser muy numerosos y llevarnos a confusiones diagnósticas al ser los síntomas predominantes. Muchos de estos síntomas extradigestivos son asociados y otros forman parte del síndrome en sí mismos con mayor o menor frecuencia. Entre ellos destacan síntomas urinarios (disuria, polaquiuria y nicturia), ginecológicos (dismenorrea y dispareunia), cefalea, posible existencia concomitante de fibromialgia, disfunción temporomaxilar, insomnio, ansiedad, depresión, astenia, a veces taquicardia o bradicardia o síndrome de Ménière.

INSOMNIO

QUERIDO HACE VARIAS NOCHES QUE NO DUERMES...

CEFALEAS

31. ¿Es la cancerofobia un síntoma frecuente?

Sí lo es, y además importante. Lo es porque puede en cierta forma invalidar la vida del paciente haciéndole perder la objetividad. La existencia de dolor abdominal sobre todo de carácter continuo sin encontrar alivio, además de los otros síntomas típicos, está culturalmente muy vinculada en algunas personas a "tener algo malo". Por ello para el paciente con síndrome de intestino irritable una de sus primeras preocupaciones es descartar tener algún tipo de tumoración. Tras la consulta al médico, la realización de las pruebas oportunas y las explicaciones que le da, el paciente queda satisfecho, pero la evolución del proceso con la aparición de nuevas crisis le hará de nuevo pensar en que en los meses siguientes se le ha podido desarrollar un tumor o algo se le ha podido pasar al médico. Ésta es una de las causas más frecuentes de consulta por esta enfermedad, por lo que la relación médico-paciente debe ser muy profunda. Hay que explicar al paciente con detenimiento en qué consiste su enfermedad, pero que no está exento del riesgo de poder padecer cualquier otra enfermedad en un futuro, incluso un tumor, si bien debe ser aleccionado sobre los síntomas de alarma que deben hacerle consultar.

32. ¿Cuáles son estos síntomas de alarma?

A lo largo de la enfermedad los síntomas se suelen repetir con cierta monotonía durante las diferentes crisis que se presentan. En ocasiones aparecen síntomas que llaman la atención del paciente por ser nuevos o no reconocerlos dentro de la rutina de su enfermedad. La aparición de cualquier síntoma que rompe esta monotonía debe ser motivo de consulta al médico. Deben considerarse síntomas de alarma la existencia de anorexia, astenia, pérdida de peso progresiva, anemia, la aparición de sangre con las deposiciones, fiebre o cualquier otro síntoma que el paciente considere anormal. Los cambios del ritmo intestinal no habituales en el curso de su enfermedad o la aparición de dolor abdominal de otra localización diferente o con otra intensidad también han de ser motivo de consulta. En general los cambios en las características de los síntomas que habitualmente presenta u otros nuevos deben ser motivo de consulta. Un hecho que debe ser tenido en cuenta es que todas aquellas personas que no han tenido nunca un síndrome de intestino irritable y de pronto presentan alteraciones como las que aparecen en este síndrome deben ser estudiadas por su médico, de igual forma que los trastornos de esta naturaleza que aparecen de improviso en personas de edad avanzada.

33. ¿Cómo se diagnostica el síndrome de intestino irritable?

El diagnóstico del síndrome de intestino irritable se realiza básicamente por los síntomas que presenta el paciente y que el médico, tras un riguroso interrogatorio, recoge en su historia clínica. La exploración física suele ser casi siempre negativa y no resultó raro que muchos de estos pacientes presenten una cicatriz como consecuencia de una apendicectomía. Este hecho es significativo pues en muchos casos tras la intervención el apéndice fue normal, lo cual hace pensar en la posibilidad de que los dolores que presentaba puedan estar relacionados con este síndrome. El diagnóstico se basa por tanto en datos clínicos tales como el dolor abdominal, las alteraciones del ritmo intestinal y la inexistencia de otros síntomas que puedan ser indicativos de enfermedad orgánica. En general la historia clínica puede ser suficiente para establecer un diagnóstico de presunción por parte del médico, quien no obstante solicitará otras pruebas complementarias (análisis, radiología y colonoscopia) en función de cada paciente.

34. ¿La radiología es una buena técnica diagnóstica? ¿Para qué sirve en estos casos?

El estudio radiológico del colon ha sido durante muchos años la prueba estrella en los pacientes con trastornos intestinales. La prueba, consistente en la introducción por vía rectal de un contraste radiopaco, se solicita con frecuencia ante la sospecha de un síndrome de intestino irritable y es conocida con el nombre de "enema opaco". Esta prueba permite ver la morfología del colon, la existencia de espasmos (se observan casos muy claros en los que existe segmentación colónica), la presencia de divertículos colónicos u otras lesiones de otro carácter. Cuando lo que se realiza es un tránsito intestinal mediante la ingesta de contraste, suele observarse un tránsito intestinal muy rápido, lo cual nos indica indirectamente la existencia de una aceleración del tránsito intestinal, aceleración relacionada con la irritación intestinal. En cualquier caso la exploración radiológica es cada vez menos utilizada y queda reservada ante todo para estudiar en algunos casos el tránsito colónico en pacientes con estreñimiento.

ACONPAÑEME DEBEMOS COLOCARLE EL CONTRASTE PARA REALIZAR EL ESTUDIO

35. ¿Y la colonoscopia?

Es sin duda la prueba mejor para estudiar el colon. No se trata de una prueba que nos dé el diagnóstico de síndrome de intestino irritable pero sí nos sirve para descartar de una forma absoluta la existencia de otro tipo de lesión de mayor alcance y que podría dar síntomas similares o muy parecidos a los de este síndrome. La prueba se realiza mediante la introducción por vía rectal de un endoscopio flexible que llega hasta el ciego y permite observar en toda su extensión el colon, ver si existen lesiones, tomar biopsias si fuera necesario e incluso extirpar pólipos si hay. No es una prueba que se realice de forma rutinaria en estos pacientes y tan sólo el médico recurrirá a ella en casos muy seleccionados. Muchos pacientes con cancerofobia reclaman con frecuencia algún tipo de exploraciones, entre ellas sobresale la colonoscopia por pensar que es la prueba más fiable. En este sentido el criterio médico es el que debe predominar.

36. ¿Qué otras pruebas se debe hacer un paciente con síndrome de intestino irritable?

Los pacientes con síndrome de intestino irritable no deben pensar que deben estar haciéndose pruebas continuamente porque no es necesario. En una primera visita el médico pedirá alguna analítica general, la cual es normal. En ocasiones pueden ser sometidos también a un estudio de heces para descartar la existencia de parásitos o algún otro tipo de malabsorción intestinal. Sólo en algún caso y en presencia de síntomas compatibles con otras enfermedades los pacientes pueden ser sometidos, a un estudio más complejo que incorpore otras pruebas, como analítica más detallada con diversos marcadores, colonoscopia, ecografía, etc. Los pacientes con trastornos profundos de la defecación pueden ser sometidos a determinadas pruebas manométricas para estudiar la función anorrectal, o mediante el barostato rectal realizar pruebas de sensibilidad rectal, de la misma forma que un estudio detenido del tránsito intestinal mediante marcadores.

37. ¿Qué enfermedades se deben descartar antes de asegurar el diagnóstico de síndrome de intestino irritable?

En general el diagnóstico del síndrome de intestino irritable, que es por exclusión de otras patologías, es fácil. Por tanto el objetivo primordial es descartar otras enfermedades. No obstante existen otras situaciones en las que hay que pensar y descartar, entre otras las enfermedades tumorales, la diverticulosis colónica, la toma abusiva de laxantes, la enfermedad inflamatoria intestinal, el síndrome de malabsorción, la intolerancia a la lactosa, enfermedades de las vías biliares, úlcera gastroduodenal, infecciones intestinales y enfermedades vasculares intestinales. También hay que descartar diversas enfermedades extradigestivas que pueden dar síntomas parecidos; tal es el caso de determinadas enfermedades tiroideas, hipoparatiroidismo, insuficiencia suprarrenal, porfiria, saturnismo, tabes dorsal, enfermedades ginecológicas, diabetes *mellitus*, litiasis renal o determinadas enfermedades psiquiátricas. En cualquier caso hay que tener presente que todos estos procesos tienen sus síntomas propios, en la mayoría de los casos muy llamativos. No quiere todo esto decir que todos los pacientes con síndrome de intestino irritable deban someterse a profundas y extensas exploraciones para descartar otros muchos procesos como los citados.

ÉSTA NO ES, TAMPOCO ÉSTA...

Se deben DESCARTAR otras enfermedades

PAF!

38. ¿Cada cuánto tiempo se debe ir al médico a revisión?

Una vez diagnosticado el síndrome de intestino irritable, éste se manifiesta temporalmente con una secuencia de crisis y síntomas muy similar. El médico le alertará de ello y de en qué situaciones debe consultar. En general no son necesarias las consultas frecuentes; es más, son perjudiciales para el paciente. Si la enfermedad mantiene su curso monótono no sería deseable acudir al médico antes de un año o año y medio en el mejor de los casos. No obstante el acuerdo debe ser entre el propio médico y el paciente para evitar la incertidumbre en ninguno de ellos. De todas formas el paciente consultará siempre que note cambios en su sintomatología o aparezcan síntomas nuevos o de alarma. La ruptura de la monotonía sintomatológica debe ser siempre motivo de consulta.

39. ¿Cada cuánto hay que hacerse pruebas?

Esta pregunta engarza con la anterior. No hay motivos para tener que hacerse repetidamente ningún tipo de exploraciones. Realizadas las pruebas iniciales, esta enfermedad no se controla mediante ninguna prueba que nos diga que uno está mejor, peor o que mejorará o empeorará. Por lo tanto si el médico le manda una prueba, analítica o de otra naturaleza, será por otro motivo u otra situación nueva que haya surgido, o a veces simplemente por la insistencia del paciente. A veces los pacientes con síndrome de intestino irritable demandan continuamente pruebas que ponen al médico en situación de presión y éste, ante esta actitud, acaba cediendo y solicitando algunas pruebas que no son estrictamente necesarias.

BLA BLA

UF!

¡Por favor! MÁNDEME A HACER UNA ANALÍTICA...

40. ¿Es una enfermedad que se cura o es para toda la vida?

Una vez que el paciente es diagnosticado de síndrome de intestino irritable la enfermedad sigue su curso con una gran monotonía. Aunque la enfermedad es en principio una enfermedad para toda la vida, no todos los casos son iguales ni la aparición de crisis de enfermedad se da por igual en todos los pacientes. Cada paciente es un mundo y tiene un curso evolutivo muy personal. Existen pacientes que tras dos o tres crisis están muchos meses o años sin síntomas e incluso en algunos casos llegan a desaparecer. En otros, los más, la enfermedad tiende a manifestarse dos o tres veces al año con largas remisiones. En los casos más graves las crisis son continuas, responden mal a la medicación y afectan profundamente a la calidad de vida. A pesar de todo, en muchos casos y tras largos años de padecer la enfermedad, ésta desaparece sin que existan razones comprensibles.

SE PRESENTAN AMBOS CASOS

41. ¿Tiene buen pronóstico esta enfermedad?

Se trata de una enfermedad con un pronóstico excelente por sí misma. Sin embargo en algunos casos influye de tal manera en la calidad de vida, que el pronóstico lo establecen los propios pacientes como malo. El conocimiento de la asunción de la enfermedad, de su carácter funcional y no orgánico y de que a partir de ella no tiene porque desarrollarse enfermedades degenerativas, es fundamental para que el paciente pueda "convivir" con ella. El síndrome de intestino irritable es una enfermedad que debe ser explicada detenidamente por el médico y comprendida por el paciente. Se le debe tranquilizar y hacerle comprender el carácter funcional de la enfermedad y de esa forma se conseguirá además una mejor respuesta terapéutica.

UD. TIENE BUEN PRONOSTICO.

SIN EMBARGO YO LO PASO MUY MAL.

42. ¿Con el tiempo la enfermedad mejora o empeora?

En general la enfermedad permanece con los años con una monotonía clara y manifiesta. En ocasiones el paciente va notando que los síntomas se van amortiguando, van mejorando o incluso desaparecen. En estos casos siempre se pone de manifiesto la disminución de situaciones estresantes que tenían lugar en una época anterior y que actualmente no existen. En estos pacientes la existencia de nuevas situaciones de estrés puede de nuevo desencadenar los síntomas. Otras veces, más raros sin duda, el paciente puede empeorar y hay que buscar en estas situaciones las causas más íntimas para que ello se haya producido. En muchas ocasiones está ligado a la aparición de estrés familiar, laboral, social o simplemente autogenerado por el propio paciente.

43. ¿Puede degenerar el síndrome de intestino irritable en una enfermedad peor?

No. El síndrome de intestino irritable es una enfermedad benigna de curso prolongado pero que no condiciona la aparición de una enfermedad de tipo tumoral. Sin embargo también hay que tener presente que por tener esta enfermedad no está uno inmunizado respecto a padecer una enfermedad peor; de ahí la importancia de acudir al médico a revisiones, o cuando el paciente percibe la pérdida de la monotonía en su enfermedad por la aparición de los denominados "síntomas de alarma".

44. ¿Tiene algo que ver el cáncer con el síndrome de intestino irritable?

No. El cáncer de colon es una enfermedad independiente que no tiene nada que ver son el síndrome de intestino irritable. Sin embargo debe tenerse presente que el cáncer de colon es una enfermedad muy frecuente en la población española, más a partir de los 45 años. Por otra parte algunos de los síntomas que presenta el cáncer de colon son muy similares a los del síndrome de intestino irritable. Sin embargo algunos de ellos son totalmente diferentes y ya han sido referidos en el apartado de síntomas de alarma. Recordemos cómo muchos de los pacientes con cáncer de colon pueden presentar hemorragias o sangre en las heces y otros síntomas menos específicos pero que no se dan en el síndrome de intestino irritable como astenia, anorexia, adelgazamiento, etc. No obstante el cáncer de colon, sobre todo el de localización izquierda, suele cursar con buen estado general. Ante cualquier duda debe consultar al médico.

45. ¿Pueden presentarse complicaciones como consecuencia del síndrome de intestino irritable?

No es una enfermedad que se caracterice por presentar complicaciones en su curso. Pueden existir cambios de síntomas, con una frecuencia e intensidad diferente, o aparecer nuevos síntomas referidos a otros órganos o sistemas, pero no pueden considerarse complicaciones.

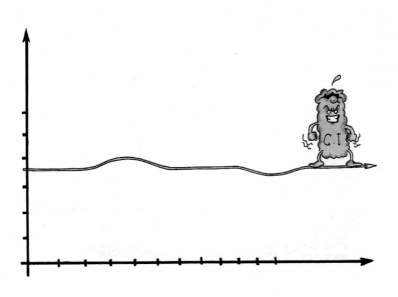

46. ¿Los divertículos del colon tienen algo que ver?

Los divertículos del colon pueden relacionarse con el síndrome de intestino irritable e incluso se puede pensar que puede ser una complicación de él, aunque en el fondo se piensa que se trata del mismo proceso más evolucionado. Los divertículos son formaciones saculares que se producen en el colon como consecuencia de las situaciones de hiperpresión que en él se producen y que favorecen esa protrusión basandose en que en determinadas zonas del colon (por donde entran los vasos nutricios) es fácil ya que en esa zona la capa muscular del colon es más débil. Por ello estos divertículos no tienen capa muscular y los restos fecales que entran en su interior pueden tener dificultad para salir. La complicación más frecuente de los divertículos es la diverticulitis, que da lugar a un cuadro sintomatológico muy parecido al de la apendicitis aguda, aunque en el lado contrario, al ser los divertículos más frecuentes en el colon sigmoide. Otras complicaciones pueden ser la hemorragia y la perforación.

divertículos

47. ¿El tratamiento es médico o quirúrgico?

El tratamiento del síndrome de intestino irritable es siempre médico y nunca quirúrgico. Sin embargo, existen casos extremos de síndrome de intestino irritable de gran gravedad sintomatológica con nula respuesta farmacológica en los que ha llegado a plantearse la colectomía (extirpación del colon) total como último recurso terapéutico. Son en todo caso situaciones excepcionales.

48. ¿Tiene un tratamiento eficaz el síndrome de intestino irritable?

El síndrome de intestino irritable no tiene un tratamiento específico y los que habitualmente se utilizan ofrecen una buena eficacia en general. No obstante, ello va a depender mucho de si se trata de un caso leve, moderado o grave en lo que se refiere a la intensidad de su sintomatología y la frecuencia con la que aparecen las crisis de la enfermedad, así como su duración. En general los pacientes suelen responder inicialmente bastante bien al tratamiento impuesto y más adelante puede haber menor grado de respuesta. Al principio, cuando el médico le explica al paciente que su enfermedad no tiene trascendencia vital y que es de carácter funcional, el paciente sale de la consulta muy reconfortado y mejora rápidamente. Sin embargo en las semanas o en los meses siguientes volverá a presentar sus síntomas y su preocupación se mantendrá y acudirá nuevamente al médico para buscar un tratamiento más eficaz en el tiempo. La eficacia del tratamiento es pues relativa, muy relacionada con cada paciente, con la relación médico-paciente y con el entorno familiar, social y laboral.

49. ¿En qué consiste básicamente el tratamiento?

El tratamiento del síndrome de intestino irritable se planifica basándose en la existencia o no de determinados factores que pueden incidir en la enfermedad o desencadenar sus síntomas, la sintomatología que presenta el paciente en el momento de la consulta y las circunstancias sociolaborales y familiares que se dan en cada caso. Básicamente el paciente deberá seguir unas recomendaciones generales que incluyen unas normas higiénico-dietéticas y, según cada paciente, la toma de una medicación determinada. Forma parte del tratamiento el conocimiento exacto de la enfermedad por parte del pacientes así como una información detallada sobre su evolución, hechos que servirán para tranquilizarle. El proceso informativo forma parte indisoluble del tratamiento, por lo que el paciente debe solicitar y asumir esa información como muy positiva para él.

LO IMPORTANTE ES CONOCER BIEN LA ENFERMEDAD NORMAS HIGIÉNICO-DIETÉTICAS MEDICACIÓN

50. ¿Es muy importante el cumplimiento terapéutico?

Es de una gran importancia que el paciente cumpla las indicaciones terapéuticas que su médico le indique ya que es la única forma de garantizar el bienestar del paciente. Muchos de los fracasos terapéuticos en Medicina y en concreto con esta enfermedad están ligados al incumplimiento terapéutico. En general está demostrado que después de dos o tres meses del comienzo del tratamiento hasta un 60% de los pacientes abandonan o hacen irregularmente el tratamiento. Esto es válido no sólo en cuanto a la toma de los medicamentos prescritos, sino también para todo lo referente a las normas higiénico-dietéticas.

NO SE DEBE ABANDONAR EL TRATAMIENTO

51. ¿Es la dieta muy importante?

El papel de la dieta en el tratamiento del síndrome de intestino irritable puede ser muy importante fundamentalmente en los pacientes que cursan con estreñimiento. Una de las recomendaciones más habituales es la de indicar aumentar paulatinamente la ingesta diaria de fibra en la dieta (10-30 g.) hasta llegar a alcanzar la dosis adecuada en cada paciente. Los países desarrollados se caracterizan por tener una dieta pobre en residuos (fibra vegetal), a diferencia de los países subdesarrollados. Está demostrado que una dieta rica en fibra vegetal beneficia claramente a estos pacientes al aumentar el volumen de la masa fecal y disminuir la presión en el interior del colon. Por ello se aconseja una dieta rica en alimentos vegetales (abundante en fruta, vegetales y pan integral), que puede ser suplementada con la ingesta de extractos vegetales preparados comercialmente. En este sentido cabe destacar que los efectos más beneficiosos se obtienen con la ingesta de fibra soluble (*ispaghula* y psilio) y no con la insoluble (salvado de trigo). El uso de fibra, siempre acompañado de la ingesta de abundante agua (no menos de 1.500 ml. al día), debe realizarse siempre bajo control médico al objeto de evitar la sobrecarga fecal por exceso de fibra. La ingesta de fibra puede en ocasiones producir un aumento del meteorismo (hinchazón abdominal), el cual suele ir desapareciendo en los días o en las semanas siguientes al iniciar o de su toma.

SE DEBE CONSUMIR FIBRA

52. ¿Se puede comer de todo?

Se ha implicado al síndrome de intestino irritable con una posible intolerancia a determinados alimentos, aunque ello no ha podido ser demostrado. Aunque el paciente puede comer de todo, debe evitar aquellos alimentos que sabe perfectamente que le sientan mal e incluso que le producen o le desencadenan determinados síntomas. Algunos alimentos, tales como los guisos fuertes, grasas en general, aliños, conservas, picantes, guisos, leche, naranja, etc. pueden con mucha frecuencia sentar mal a estos pacientes, al igual que las bebidas con gas, que hacen aumentar el meteorismo.

Con independencia de lo anterior es recomendable una dieta rica en proteínas y pobre en grasas. En ocasiones el paciente sabe que le van muy bien algunos alimentos para tratar su estreñimiento o en su caso la diarrea, por lo que deben comunicárselo a su médico para que lo tenga presente al planificar el tratamiento. La observación por parte del paciente de lo que le cae bien o mal es indispensable para el éxito terapéutico.

53. ¿Se pueden tomar bebidas alcohólicas?

No existe ninguna razón que obligue a suprimir las bebidas alcohólicas en estos pacientes. Sin embargo, salvo que les sienten mal, deben tomarse con moderación y evitando las bebidas alcohólicas de destilación (bebidas con alto contenido alcohólico). También debe tenerse presente que en algunos pacientes la ingesta de bebidas alcohólicas puede ser causa del desencadenamiento de alguno de sus síntomas, por lo que es conveniente que hagan una exclusión temporal de la toma de estas bebidas para valorar su posible impacto en los síntomas. En caso de ser bien toleradas, son preferibles las bebidas de bajo contenido alcohólico y en cantidad moderada.

54. ¿Influye el café o el hábito de fumar?

No influyen de una forma contrastada pero sí en algunos casos los pacientes mejoran si prescinden de determinados estimulantes. El café o el té no tienen por qué ser suprimidos, pero no se debe abusar de ellos y hay que tomarlos dependiendo siempre de cómo le siente a cada paciente. En cuanto al hábito tabáquico, nada saludable por otra parte, no influye en el curso de la enfermedad ni sobre la frecuencia o intensidad de los síntomas salvo en casos concretos en los que los pacientes refieren que les sienta mal. Será el propio paciente el que decida de acuerdo con su médico si debe prescindir de ello.

55. ¿La leche y los yogures son buenos?

No son ni buenos ni malos. Siempre se ha hablado de su efecto beneficioso en las enfermedades intestinales pero en los pacientes con síndrome de intestino irritable no está demostrado. Es más, algunos de ellos muestran intolerancia a la leche, les produce flatulencia y a veces incluso diarrea.

En estas situaciones, con independencia de que pudiera existir una intolerancia a la lactosa que sería motivo de estudio por su médico, debería prescindirse de la toma de productos lácteos. Si el paciente los tolera bien y cree, por su experiencia personal, que le producen efectos beneficiosos, no existe ningún inconveniente para que los tome de forma habitual. No existen estudios que demuestren la acción beneficiosa del *lactobacillus*, aunque parece que pueden darla determinadas cepas de *bifidocterium*, bacterias probióticas que potencian la acción de los microorganismos intestinales beneficiosos; existen estudios que refieren que pueden también aumentar las defensas del organismo. El *lactobacillus acidophilus* es un probiótico muy popular que se emplea para tratar diarreas ya que en muchos casos reequilibra la flora intestinal. El *lactobacillus casei* es también un probiótico con efectos beneficiosos sobre las defensas del organismo que puede intervenir en la regulación de los triglicéridos y del colesterol sanguíneos. Otros yogures contienen *Streptococcus thermophilus* y *Lactobacillus bulgaricus*, que favorecen la absorción de lactosa y estimulan la actividad biológica de determinadas enzimas, vitaminas, minerales, etc. En general los yogures no han demostrado efectos rotundamente beneficiosos en estos pacientes, pero en ningún caso son perjudiciales.

56. ¿Se puede hacer deporte o ejercicio?

Sí. No hay ningún problema ni limitación para realizar cualquier actividad deportiva. Es más, es conveniente en cuanto que el deporte, el paseo o cierto grado de ejercicio pueden ser relajantes y evitan la tensión que muchos pacientes con síndrome de intestino irritable presentan. De hecho en todos estos pacientes se indica la evitación de la vida sedentaria.

DEBE EVITARSE LA VIDA SEDENTARIA

57. ¿Cómo se trata el dolor abdominal?

Es uno de los síntomas más molestos que presenta el paciente y sobre el que reclama atención médica. No existe ningún medicamento que tomado regularmente sea excepcional para tratarlo. Sin embargo existen diversos fármacos que bien empleados pueden ser de gran utilidad en el manejo del dolor. Los más utilizados son los denominados "fármacos anticolinérgicos o antiespasmódicos" que se comportan como relajantes de la musculatura lisa (mebeverina, otilonio bromuro, trimebutina, bromuro de pinaverio, diciclomina, etc). En general estos fármacos, siempre a la dosis recomendada por su médico, son útiles cuando el dolor abdominal es moderado pero tienen el inconveniente de poder producir estreñimiento, retención urinaria en pacientes sobre todo prostáticos, sequedad de boca y, en algún caso, alteraciones visuales, además de que en algunos pacientes acentúan el dolor posteriormente a su toma. Recientemente se están desarrollando determinados fármacos dirigidos a modificar la sensibilidad visceral y que podrían ser efectivos en determinados pacientes con dolor, pero todavía no han sido aprobados por la Agencia Europea del Medicamento.

anticolinérgicos

antiespamódicos

58. ¿Cómo se trata el estreñimiento?

El estreñimiento es una de las causas de más preocupación de los pacientes y debe ser tratado. Existen multitud de alternativas y no una recomendación igual para todos los pacientes. Como ya se ha referido es muy recomendable el uso de fibra vegetal fundamentalmente en su forma insoluble. En otros pacientes se ha que recurrir a la toma de laxantes

los cuales nunca deben ser autoindicados por el paciente sino tomados bajo prescripción médica. Los laxantes pueden ser lubricantes (como el aceite de parafina), osmóticos (como la lactulosa, polietilenglicol, lactitol, o sorbitol), salinos (como el hidróxido o citrato de magnesia), los estimulantes (como el bisacodil, sen, o cáscara sagrada) y los surfactantes (docusate). Algunas presentaciones contienen macrogol junto a bicarbonato sódico y cloruro sódico y potásico, estando indicado además de en el estreñimiento en la impactación fecal cuando esta se produce. Además de los anteriores en ocasiones se puede recurrir a algún otro tipo de medidas como son los supositorios de glicerina o los enemas de limpieza. En algún caso puede ser de utilidad el uso de fármacos procinéticos (cinitaprida, cisaprida). Se han desarrollado algunos fármacos, todavía no aprobados por la Agencia Europea del Medicamento que podrían ser de utilidad en los pacientes con estreñimiento, como los agonistas de los receptores 5HT4 (tegaserod) y los antagonistas de los receptores 5HT3 (alosetrón).

59. ¿Es necesaria la reeducación en casos de estreñimiento muy importante?

A veces en algunos pacientes existe una relajación anal incompleta por lo que es conveniente establecer un plan de reeducación defecatoria conocido como *"biofeedback"*. El objetivo de esta terapéutica es conseguir que la relajación del esfínter anal sea correcta. Esta técnica educativa suele ser muy eficaz en determinados pacientes y consiste en el aprendizaje mediante la monitorización de la presión anal y abdominal que el paciente contempla en un monitor mediante contracciones anales y compresiones abdominales.

60. ¿Y la diarrea?

El tratamiento de la diarrea es obligado y debe igualmente realizarse siempre bajo prescripción médica. De los antidiarreicos el más utilizado es la loperamida, con la cual se obtienen excelentes resultados. La loperamida actúa aumentando la absorción de agua y electrólitos a la vez que enlentece el tránsito intestinal y aumenta el tono del esfínter anal. No debe utilizarse de forma mantenida sino sólo cuando el paciente presente crisis diarreicas, ya que su toma continuada puede facilitar la aparición de estreñimiento. En algunos casos pueden estar indicados otros fármacos, como la colestiramina o el clorhidrato de difenoxilato. También ha sido utilizada con buenos resultados la codeína. En cualquier caso el uso de un antidiarreico debe ser establecido por el médico y el paciente no debe introducir cambios farmacológicos sin su visto bueno ya que en no pocas ocasiones pueden aparecer efectos secundarios, sobre todo cuando se toman por otras razones otros fármacos para otras patologías que pueden dar origen a interacciones medicamentosas.

61. ¿Pueden estar indicados los ansiolíticos o antidepresivos?

En ocasiones la respuesta terapéutica fundamentalmente al dolor no es la deseada y hay que recurrir a otras alternativas. Por otra parte muchos pacientes con síndrome de intestino irritable tienen un alto nivel de estrés y debe contemplarse la posibilidad de tratar de intervenir sobre ello. El uso de fármacos psicotropos puede ser de utilidad en muchos de estos pacientes. Por otra parte es frecuente la existencia de cierto grado de neuroticismo, ansiedad e incluso depresión en los pacientes con síndrome de intestino irritable, por lo que puede estar indicado su uso. Cuando el dolor abdominal es rebelde al tratamiento con fármacos anticolinérgicos convencionales, puede recurrirse a los antidepresivos tricíclicos a dosis menores de las utilizadas en los casos de depresión manifiesta. Hoy sabemos que estos fármacos (imipramina, amitriptilina, mianserina, etc.) pueden ser una buena alternativa en el tratamiento del dolor abdominal rebelde a otros tratamientos, además de mejorar la diarrea. Al margen de ellos, cuando se detecte en estos pacientes cierto grado de ansiedad que agrave la enfermedad, puede recurrirse al uso de clordiacepóxido o diacepam o a los inhibidores de la recaptación de la serotonina (fluoxetina y paroxetina). Estos fármacos no parecen mejorar la hipersensibilidad visceral típica del síndrome de intestino irritable pero mejoran el estado psíquico del paciente, incluso el dolor abdominal. En cualquier caso estos fármacos deben ser siempre tomados bajo indicación y vigilancia médica. Todos estos fármacos tienen efectos adversos e interferencias medicamentosas, lo que obliga a su empleo durante cortos períodos.

62. ¿Pueden en algún caso ser necesarios otros tipos de tratamientos?

En algunos pacientes, sobre todo en los que presentan síndrome de intestino irritable severo la respuesta terapéutica suele ser mala a pesar del empleo de diferentes tratamientos. En ellos parece correcto recurrir a otras alternativas de las que puede salir beneficiado. Desde el punto de vista científico sabemos que el efecto placebo está presente en cualquier acción médica e incluso no médica. La fe en algo que el paciente piensa que le puede curar o aliviar puede ser aprovechada con este fin. El efecto placebo, basado en el beneficio de la administración de un placebo (sustancia no activa), está demostrado científicamente que existe, si bien este efecto es transitorio de días o semanas y está muy ligado a la acción del médico. Se ha demostrado que este efecto puede incluso normalizar determinadas actividades del sistema nervioso autónomo y del eje hipotálamo-hipofisario. Ello ayuda a mejorar la estabilidad emocional y el paciente mejora aunque sea transitoriamente. También existen algunos estudios científicos que demuestran en algunos casos seleccionados un tratamiento antibiótico, concretamente con rifaximina, puede dar lugar a mejorías transitorias.

63. ¿Los productos de herbolario pueden aliviar?

Cuando la respuesta terapéutica es mala, lo cual ocurre en determinadas ocasiones, o no alcanza el nivel de mejoría que el paciente desea, recurre en ocasiones a otros remedios o recomendaciones fuera de las vías de la Medicina farmacológica. En este sentido el uso de determinadas hierbas o plantas medicinales se extiende entre los pacientes que no mejoran a través de anuncios, prensa, "boca a boca", mercadillos, herbolarios, etc. En algún caso las plantas medicinales pueden ser de utilidad y de hecho la comunidad científica está estudiando sus efectos, como en el caso del aceite de menta (*Mentha X piperita L.*), con el que según algunos estudios se puede conseguir una mejoría global en algunos pacientes. Al margen de ésta, otras plantas medicinales son utilizadas muy habitualmente por los pacientes principalmente por su efecto laxante. Si ello es así, debe ser comunicado a su médico ya que dichas plantas, aunque pueden ser beneficiosas en algunos casos, pueden ser a su vez perjudiciales para otras dolencias que pudiera tener el paciente o causar una interacción con alguno de los fármacos que pueda estar tomando.

ME VOY A PREPARAR UN TECITO...

64. ¿Existen otras posibilidades terapéuticas alternativas?

Existen algunas alternativas no demasiado bien estudiadas pero que son aplicadas ocasionalmente. Con algunas de ellas incluso se han comunicado desde el punto de vista científico buenos resultados pero no son utilizadas habitualmente. Entre éstas cabe destacar la psicoterapia, la hipnoterapia, las terapias físicas, como la acupuntura, curas balneáricas, masajes y ejercicios de relajación, la reflexología y el *shiatsu*. Todos estos métodos alternativos persiguen conseguir en el paciente cierto grado de relajación y autocontrol que en ocasiones puede lograrse. De todos ellos el tratamiento psicológico es el mejor estudiado y con él muchos pacientes pueden encontrar mejoría, sobre todo los que sufren altos niveles de estrés.

65. ¿Con carácter general se puede decir que la respuesta al tratamiento impuesto por el médico es buena?

Sí con carácter general. El grado de satisfacción terapéutica por parte del paciente y del médico puede llegar a un 60-70%. Esto es importante teniendo en cuenta que no existe ninguna medicación específica para tratar el síndrome de intestino irritable. Por otra parte hay que tener presente que al ser una enfermedad funcional existe una tendencia natural por parte del paciente a no extremar el cumplimiento terapéutico, lo que hace que muchos de ellos que habían mejorado inicialmente empeoren semanas después al abandonar la terapia.

De forma concreta, si separamos los casos leves de los moderados o graves la respuesta terapéutica puede ser muy diversa. Resulta buena en los casos leves, mientras que en los casos moderados hay que insistir mucho en el cumplimiento del tratamiento impuesto y en las medidas correctoras del estrés y del entorno social, si ello es posible. En cualquier caso también en estos pacientes se observa después de un año de tratamiento un alto grado de satisfacción. No ocurre lo mismo en aquellos con síndrome de intestino irritable grave, donde la respuesta es peor y los cambios terapéuticos se producen con mayor frecuencia durante los primeros meses.

BUENA RESPUESTA

30%

70%

66. ¿Por qué se elige un tratamiento u otro?

La elección se produce de acuerdo con los síntomas que presenta el paciente, su persistencia y su gravedad. No se puede mandar los mismos fármacos a aquellos que presentan diarrea, estreñimiento o un curso alternante de su ritmo intestinal. De la misma forma, el dolor abdominal puede tener características peculiares en cada paciente y el médico tratará de personalizar el tratamiento para obtener un efecto beneficioso mayor. Por otra parte muchos pacientes presentan síntomas extradigestivos que deben ser tratados, mientras que aquellos que no los presentan no deben tomar determinados medicamentos.

67. ¿Se pueden tomar otros medicamentos para otras enfermedades?

Obviamente sí se pueden tomar otros medicamentos, pero debe consultarse previamente al médico. Todos los pacientes deben tener en cuenta que los fármacos tienen unas indicaciones, unas contraindicaciones, unos efectos adversos y unas interacciones medicamentosas. A veces muchos síntomas que aparecen en el curso de un tratamiento por un síndrome de intestino irritable son debidos a la toma de otros medicamentos para otra enfermedad.

Por otra parte algunos fármacos pueden ser perjudiciales en los pacientes con síndrome de intestino irritable, por lo que debe evaluarse muy bien cómo manejar a cada paciente en concreto. Por último, pueden aparecer interacciones medicamentosas entre diferentes fármacos, lo que hará que el médico pueda plantearse la retirada de algunos de ellos.

68. ¿Se ha de tomar alguna precaución especial en caso de embarazo?

No debe tomar ninguna medicación sin autorización de su médico. Si una mujer tiene síndrome de intestino irritable, no tiene ningún problema para quedarse embarazada y tener un embarazo normal. Es más, en muchos casos las propias embarazadas cuentan que durante este período mejoran de sus síntomas de una forma manifiesta o incluso desaparece la enfermedad. Los síntomas digestivos que pueden aparecer habitualmente durante el embarazo (pirosis, estreñimiento, etc.) lo son también del síndrome de intestino irritable, por lo que puede prestarse a confusión si la paciente ha mejorado o no, pero no el dolor abdominal, que es propio de este síndrome y que mejora o desaparece en muchos casos. Es importante que si es posible la paciente suprima desde el inicio del embarazo la medicación que tomaba para su enfermedad, salvo que su médico se lo indique.

PUEDE QUEDAR EMBARAZADA SIN PROBLEMA

69. ¿Tiene el síndrome del intestino irritable alguna característica especial en las personas ancianas?

No especialmente. Si lo tenía de años antes y sigue su cuadro monótono es lo natural y si cambian los síntomas es motivo de consulta. Si los pacientes tienen una forma en la que predomina el estreñimiento, éste puede acentuarse ya que el estreñimiento es uno de los problemas más importantes en las personas de edad debido al sedentarismo y al cambio en los hábitos dietéticos y la de toma de líquidos. En ocasiones como consecuencia del intenso estreñimiento puede aparecer una imputación fecal que debe tratarse apropiadamente. Sin embargo debe tenerse presente que la aparición de un cuadro compatible con síndrome de intestino irritable en una persona anciana que se presente "de novo" puede ser debido a otra patología. Esto hará que el médico lo estudie detenidamente para descartar una de las patologías más frecuentes a esas edades como es el cáncer de colon.

70. ¿Es importante la relación médico-paciente?

Como en todas las enfermedades, y en concreto las de carácter funcional, la relación médico-paciente es fundamental. La confianza en el médico por parte del paciente deberá ser absoluta ya que en caso contrario los beneficios terapéuticos disminuirán de una forma muy manifiesta. El tratamiento y su cumplimiento, el seguimiento y muchos de los consejos que el médico dé a un paciente con síndrome de intestino irritable deben ser no sólo aceptados, sino consensuados con el paciente. Un objetivo fundamental que debe surgir de esta relación es la propuesta de un tratamiento que pueda ser cumplido por el paciente. La explicación de en qué consiste su enfermedad, cuál va a ser su curso, la existencia de períodos buenos y otros malos, la no desesperación cuando los síntomas empeoran y que la consulta del médico siempre está disponible resultan aspectos básicos para dar confianza al paciente. Por tanto, esta relación debe ser muy profunda y no estar contaminada por consejos ajenos, que no hacen más que cambiar tratamientos sin conocimiento del médico en el mejor de los casos y no pocas veces ocultarlo, creando una gran confusión en el médico en lo relativo al curso de la enfermedad. Un aspecto importante es que el médico debe implicar al paciente en el tratamiento a la vez que establecer conjuntamente unos límites buenos o aceptables de respuesta terapéutica y de estrategia en nuevas visitas. Está demostrado que cuanto mejor es la relación médico-paciente, menor es el número de consultas por esta enfermedad.

71. ¿Una vez puesto el tratamiento hay que acudir frecuentemente al médico?

Ni más ni menos que las veces que el médico le haya recomendado. Los pacientes con enfermedades funcionales, y en este caso el síndrome de intestino irritable lo es, tienen una gran tendencia a recurrir continuamente al médico, generalmente contando siempre lo mismo y no porque se den incidencias nuevas, salvo raras excepciones. La hiperconsulta genera desconfianza y no es buena ni para el paciente ni para el médico. El paciente que consulta mucho acaba pensando que "el médico no me hace caso", hecho de gran importancia pues de alguna forma está transmitiendo al propio médico y a su entorno familiar, que ha perdido la confianza en la relación médico-paciente. Las consultas deben ser las justas, las recomendadas por el médico, salvo aquellas no programadas y que son obligadas si aparecen síntomas nuevos o considerados de alarma.

72. ¿Pero cada cuánto? ¿Semanas, meses o años?

Tras una primera consulta y establecerse el diagnóstico de síndrome de intestino irritable, el médico le impondrá un tratamiento determinado y le pedirá que acuda de nuevo a consulta en unas cuantas semanas. De esta forma verá cuál ha sido la respuesta terapéutica, si necesita alguna prueba más complementaria o si debe cambiarle alguna medicación. La frecuencia de las consultas será variable en cada paciente. Una vez comprobada la marcha del proceso, le aconsejará que no vuelva hasta pasados unos meses (6 - 8 aproximadamente) aunque esto puede ser variable en función de la existencia de otras enfermedades concomitantes. En los pacientes donde la respuesta es buena las consultan se irán espaciando, salvo incidencias, y en los casos de mala respuesta las citas podrán ser más frecuentes. En cualquier caso todo paciente con síndrome de intestino irritable, aunque vaya bien, debe ir a consulta al menos una vez al año o año y medio.

73. ¿Se realizan pruebas en las consultas de revisión?

No. Una vez establecido el diagnóstico no hay que estar haciéndose pruebas en cada revisión aunque eso tranquilice mucho al paciente. De ahí la importancia de la relación médico-paciente. El paciente debe tener muy claro que el médico le mandará todas las pruebas que considere necesario en alguna de las consultas o en algún momento de su evolución, pero en cada visita tan sólo le hará determinadas preguntas sobre la marcha de su proceso, y en todo caso pequeñas modificaciones terapéuticas, si procede. La solicitud insistente por parte del paciente de pruebas repetidas, innecesarias u otras nuevas no hace más que deteriorar su relación con el médico.

74. ¿Si aparecen otros síntomas que no son los habituales qué se debe hacer?

En este caso es claro que hay que consultar sin esperar a la consulta programada. El síndrome de intestino irritable tiene una historia natural en cuanto a la sintomatología, de una gran monotonía, donde no existen grandes novedades, salvo que uno esté más o menos molesto, pero siempre con los mismos síntomas. La aparición de síntomas nuevos o la alteración de los que ya uno tiene debe ser motivo de consulta. En el apartado de síntomas de alarma hemos referido la importancia de consultar al médico cuando se presenta uno de ellos. No debe olvidarse que un paciente con esta enfermedad puede desarrollar cualquier otra y que esta nueva puede tener síntomas parecidos. La presencia de anorexia, astenia, pérdida de peso progresiva, anemia, sangre con las deposiciones, fiebre o cualquier otro síntoma que el paciente considere anormal debe ser motivo de consultar al médico fuera de la revisiones programadas.

¿ME LLEVAS AL MÉDICO? TENGO SÍNTOMAS QUE NO RECONOZCO.

75. ¿Cómo afecta a la calidad de vida padecer síndrome de intestino irritable?

Está demostrado que los pacientes con síndrome de intestino irritable pueden tener peor calidad de vida, aunque está relacionada con el grado de gravedad de la enfermedad. Se han realizado multitud de estudios mediante la aplicación de determinados cuestionarios específicos para medir la calidad de vida de estos pacientes y se ha observado que existen ciertas limitaciones en la vida diaria, tanto en la laboral y familiar como en lo referente al tiempo de ocio. Estas limitaciones, que originan una mala calidad de vida, son más frecuentes en aquellos pacientes que presentan dolor abdominal rebelde al tratamiento y mayor número de deposiciones diarreicas, pues producen un condicionamiento de su vida diaria.

76. ¿Esta enfermedad es para toda la vida o desaparecerá algún día?

Es una enfermedad crónica de larga evolución de carácter recurrente con episodios sintomáticos y otros de calma. En otros pacientes sin embargo esto no es así. Sabemos que hasta en un 25% de pacientes que son evaluados entre dos y tres años después de ser diagnosticados de síndrome de intestino irritable la enfermedad ha desaparecido. Otros estudios ponen de manifiesto que hasta el 40% de los pacientes no lo presentan después de 10 años. De ello se desprende que la posibilidad de que el síndrome de intestino irritable desaparezca en un determinado paciente es una realidad, de la misma forma que sabemos que muchos pacientes después de 15-20 años tan sólo presentan alguno de los síntomas de la enfermedad y en escala menor. Sólo un porcentaje pequeño mantiene a lo largo de toda la vida un síndrome de intestino irritable de carácter grave. Es importante que el paciente conozca que en los casos donde desaparecen los síntomas clásicos de la enfermedad pueden aparecer con posterioridad otros síntomas, también de carácter funcional.

77. ¿Cómo afecta a la familia?

De alguna forma también "padece" el síndrome de intestino irritable. La familia siempre sufre la enfermedad de un familiar como algo propio. Sin embargo, el paciente con esta enfermedad debe tratar de vivir su enfermedad consigo mismo y compartirla escasamente, pues de lo contrario perderá la confianza y credibilidad de los que le rodean. Estar siempre quejándose hace la vida poco agradable a la familia, la cual sabe por el médico que se trata de una enfermedad benigna que no compromete la vida del paciente aunque afecte a su calidad. Este hecho es muy importante porque a partir de ahí se fraguan incomprensiones que pueden repercutir en la vida familiar. El paciente debe vivir su enfermedad consigo mismo, compartirla cuando sean momentos difíciles y tratar de no "amargar la vida" con sus quejas a cuantos tiene cerca en el día a día.

78. ¿Es una enfermedad que se pueda heredar?

No. Es una pregunta que pueden realizar algunos pacientes. No existen estudios que pongan de manifiesto esta posibilidad. El síndrome de intestino irritable es una enfermedad adquirida, aunque no conozcamos bien sus causas, y no se hereda. Sí puede existir una susceptibilidad genética a padecer determinadas enfermedades; en este aspecto es posible que pueda darse, si bien no existe ningún estudio científico que lo demuestre o lo haga intuir.

79. ¿Se puede tener algún problema en el trabajo por padecer síndrome de intestino irritable?

En ocasiones sí, sobre todo en función del tipo de síndrome de intestino irritable que uno padece. Si se trata de un síndrome en el que predomina el cuadro diarreico, la disponibilidad de unos aseos cercanos o no puede ser vital para el paciente. Esta no disponibilidad puede crear un cuadro de ansiedad secundario a este hecho y hacer la vida laboral inasumible. La expulsión frecuente de gases puede además acentuar el problema al tener que compartir espacios comunes en el trabajo. Junto a lo anterior, otro problema es el de las comidas, no siempre preparadas de acuerdo con las necesidades personales por la enfermedad. Por si fuera poco, las situaciones de estrés que pueden vivirse en el trabajo contribuyen en muchos casos a empeorar la enfermedad. El conocimiento de los superiores del problema que padece puede ayudar a solucionar muchos de estos aspectos pero crea otros nuevos al desaparecer la confidencialidad. Por ello es mejor confiar estos problemas a la sección o al departamento de salud laboral si la hay en la empresa o el lugar de trabajo. No todos los pacientes quieren ni desean que en su entorno laboral sepan que padecen una determinada enfermedad, algo que hay que respetar de forma fundamental como derecho individual.

YA NO SOPORTO MÁS A RAÚL CON SU PROBLEMA DIGESTIVO

80. ¿Y si se viaja? ¿Hay que tener alguna precaución especial?

Las limitaciones que pueden existir en un viaje, tanto de trabajo como de ocio, son similares a las de la vida diaria. El paciente con síndrome de intestino irritable no debe renunciar a viajar pero tampoco comportarse como si no lo tuviera. Debe prevenir, puesto que conoce bien su enfermedad, sus síntomas y cuándo se presentan las situaciones más estresantes o desagradables. Durante los viajes no debe cambiar sus hábitos higiénico-dietéticos y, en todo caso, consultar previamente a su médico para prevenir determinadas situaciones si es que se dan. Nunca debe olvidar llevar sus medicamentos y tomarlos como lo hace de forma habitual.

81. ¿Es importante que el paciente conozca bien en qué consiste el síndrome de intestino irritable?

El conocimiento de la enfermedad es sin duda fundamental. El paciente debe tener unas nociones generales de cómo funciona el aparato digestivo y más concretamente el intestino delgado y el colon. El médico le explicará detalladamente en qué consiste la enfermedad, cuáles son sus síntomas, su evolución, su pronóstico y su tratamiento. Lo hará con un lenguaje claro, sencillo y dejando constancia de que se ha hecho entender, lo que resultó fundamental. El paciente dejará testimonio de ello y hará cuantas preguntas considere necesario para entender e implementar correctamente cuanto se le ha explicado. Si le quedara alguna duda, en la siguiente consulta deberá aclararla con su médico. El médico, por otra parte, deberá escuchar atentamente al paciente (no hay dos pacientes iguales) y contestar a las preguntas que le haga.

82. ¿Existen asociaciones de pacientes con síndrome de intestino irritable?

Las asociaciones de pacientes, con carácter general, se están desarrollando de forma importante en nuestro país y fuera de él. En el caso del síndrome de intestino irritable no existe ninguna asociación de pacientes en España consolidada y que tenga una actividad continuada en todo el territorio. Tan sólo existe una de reciente creación en Cataluña (*Associacio d'Afectats de Colon Irritable de Catalunya*), que está dando sus primeros pasos y que ya ha desarrollado sesiones o encuentros periódicos, incluso un congreso de pacientes con la enfermedad.

83. ¿Puede ayudar consultar los problemas que plantea el síndrome de intestino irritable en internet?

Internet es de gran ayuda en los temas de salud y por tanto también en el caso de los pacientes con síndrome de intestino irritable. Sin embargo se debe acceder a páginas fiables ya que existen multitud de páginas *web* que hablan de este síndrome y muchas pueden no ser de garantía. Si se recurre a este lugar de información debe procurarse que las páginas que se seleccionen estén perfectamente avaladas.

Algunas sociedades científicas o colegios profesionales tienen portales de salud donde se puede encontrar información sobre la enfermedad. También las Asociaciones de Pacientes son fiables aunque en España no existe ninguna salvo la *Associacio d'Afectats de Colon Irritable de Catalunya* que no tiene página *web* pero sí un contacto de correo electrónico (aacicat@yahoo.es).

La *Sociedad Española de Patología Digestiva* (http://www.sepd.es) y la *Asociación Española de Gastroenterología* (http://www.aegastro.es) tienen una entrada para pacientes y admiten preguntas sobre las enfermedades digestivas. Además de las anteriores existen otras muchas páginas con información resumida y en ocasiones de poco interés.

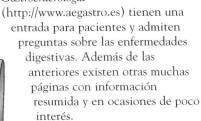

En algunas de ellas el paciente puede encontrar alguna información útil e incluso comunicarse con otros pacientes (http://www.hablaibs.org/index.html), (http://www.forosii.com), y (http://www.colon-irritable.com). Relacionada con determinados consejos generales y la dieta puede ser de interés una página propiciada por un grupo de médicos de atención primaria (http://www.fisterra.com/material/dietas/colon_irritable.asp).
A nivel internacional existen diversas Asociaciones o Sociedades Científicas que informan y ayudan a los pacientes con síndrome de intestino irritable. Tal es el caso de organizaciones para pacientes sin ánimo de lucro (http://www.ibsassociation.org), la *International Foundation for Functional Gastrointestinal Disorders* (http://www.aboutibs.org), la *Society for Women's Research* (http://www.hablaibs.org) o la página *web* del *American College of Gastroenterology* (http://www.acg.gi.org/patients/patientsinfo/ibs.asp) y otras de interés como http://www.panix.com/~ibs/ o http://www.ibsgroup.org/main/brochures.shtml. Todas ellas, aunque se encuentren en inglés, pueden ser de gran utilidad ya que contienen numerosos links que pueden ser de gran ayuda para los pacientes.
Recientemente la Comisión Europea ha presentado un portal de salud (http://e.c.europa.es/health-eu/index_en.htm) que aunque no refiere nada sobre esta enfermedad en el momento actual es de esperar que en un futuro próximo tenga un área dedicada a ella.